ISSN - 0981.8081
ISBN - 2.217.26015.4
© Gautier-Languereau, 1988.
Dépôt légal : Mars 1988
Imprimé en Italie.

ILLUSTRATIONS DE MYRIAM DERU
HISTOIRE DE PAULE ALEN

Pomme et Ananas

Apple and Pineapple

gautier-languereau

Ce livre bilingue raconte l'histoire de deux petites mangoustes. C'est le troisième titre d'une série conçue pour permettre aux jeunes enfants de jouer avec les mots d'une autre langue et de se familiariser avec elle. Les phrases courtes imprimées en deux colonnes, l'une en français, l'autre en anglais, sont placées sous une grande illustration. Les mêmes mots dans les deux langues se retrouvent ligne à ligne. En vis-à-vis, sur la page de gauche, un lexique en images donne la traduction des mots essentiels évoqués dans le dessin.

De présentation attrayante, ce livre donnera envie d'en savoir davantage aux enfants qui apprennent à lire.

L'EDITEUR

à nos chers papas

Here is an amusing bilingual story of two little mongooses. This picture book is the third title in a series specially conceived so that young children can play with words of another language thereby becoming familiar with them. The short easy-to-read sentences printed in separate columns, one in French, the other in English, are placed under a large illustration. The same words in both languages appear opposite one another on the same level. On the left hand page is a series of small images reproducing subjects to be found in the illustration with the corresponding words in both languages.

Attractively presented, this book appeals to the young child learning to read.

THE PUBLISHER

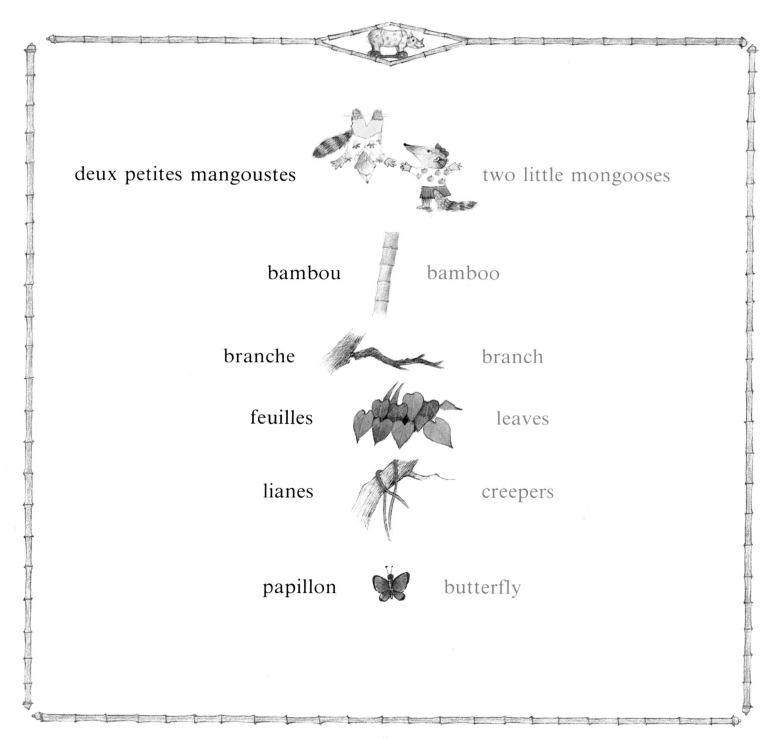

deux petites mangoustes   two little mongooses

bambou   bamboo

branche   branch

feuilles   leaves

lianes   creepers

papillon   butterfly

Deux petites mangoustes vivent
dans la forêt tropicale.
L'une s'appelle Pomme
et l'autre Ananas.
Un jour, Ananas déclare :
— Construisons une maison
dans cet arbre, Pomme.

Two little mongooses live
in the tropical forest.
One is called Apple
and the other Pineapple.
One day, Pineapple declares :
— Let's build a house
in this tree, Apple.

9

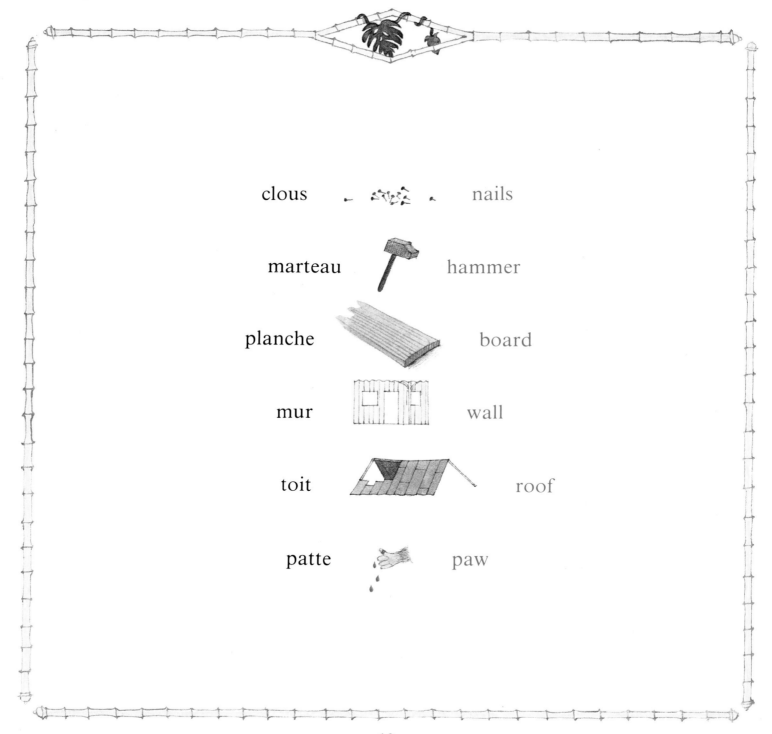

clous   nails

marteau   hammer

planche   board

mur   wall

toit   roof

patte   paw

Ananas apporte les planches.
Bientôt le plancher et les murs
sont en place.
Le toit est presque fini.
— Donne-moi le marteau, Ananas.
Et Pomme tape sur sa patte
au lieu du clou.

Pineapple brings the boards.
Soon the floor and the walls
are in place.
The roof is almost finished.
— Give me the hammer, Pineapple.
And Apple hits her paw
instead of the nail.

revues		magazines
pales de ventilateur		fan blades
cactus		cactus
éléphant à roulettes		elephant on wheels
infirmière alligator		nurse alligator
store		shutter

— Le déjeuner est-il prêt, Pomme ?
— Non, ma patte me fait trop mal.
— Allons voir le docteur Alligator.
Pomme et Ananas attendent
leur tour.
— Rentrons à la maison, Ananas,
cela ne me fait plus mal.

— Is lunch ready, Apple ?
— No, my paw hurts too much.
— Let's go to see Doctor Alligator.
Apple and Pineapple wait
their turn.
— Let's go home, Pineapple,
it does not hurt anymore.

bande bandage

médicament medicine

ventilateur électrique electric fan

affiche poster

pilules de vitamines vitamin pills

stéthoscope stethoscope

Le docteur Alligator examine
Pomme.
— Vous n'avez pas bonne mine.
Vous avez besoin de vitamines.
Ce n'est pas grave.
Avec une belle bande sur la patte,
Pomme se sent tout de suite mieux.

Doctor Alligator examines
Apple.
— You don't look well.
You need vitamins.
It's not serious.
With a lovely bandage on her paw,
Apple feels better right away.

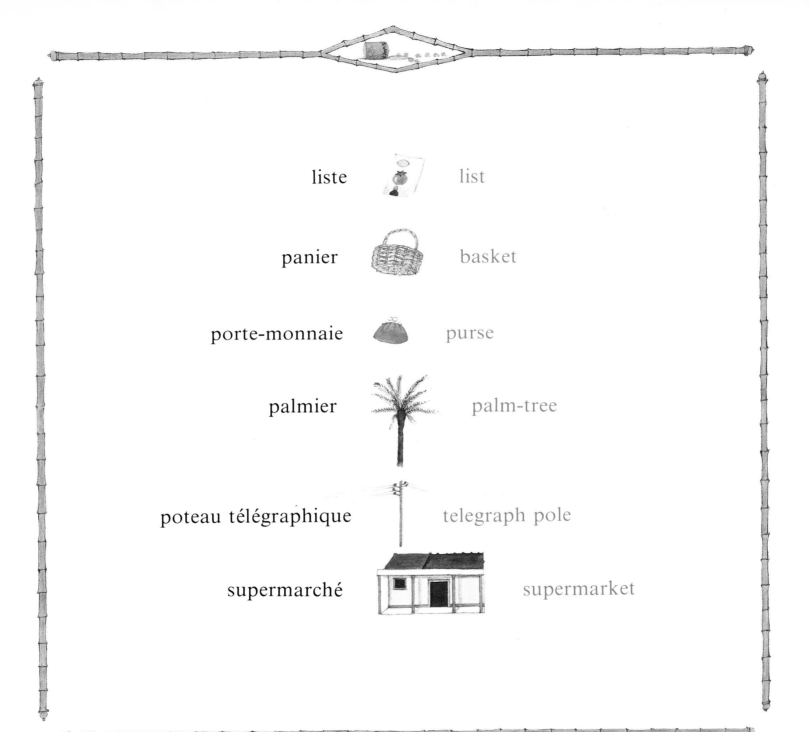

liste		list
panier		basket
porte-monnaie		purse
palmier		palm-tree
poteau télégraphique		telegraph pole
supermarché		supermarket

Pomme et Ananas sont revenus.
— Repose-toi, Pomme. Aujourd'hui
je ferai la cuisine. Je vais sortir
faire les courses.
Ananas part au supermarché
avec un grand panier.

Apple and Pineapple are back.
— You rest, Apple. Today
I will cook. I am going out
to shop.
Pineapple goes to the supermarket
with a big basket.

17

chariot		trolley
étagères		shelves
caisse enregistreuse		cash register
mappemonde		globe
arrosoir		watering-can
chapeau de paille		straw hat

Ananas trouve une mappemonde,
une casquette, un arrosoir,
une écharpe, des chaussettes à pois,
un cerf-volant, un chapeau de paille
pour Pomme et cinq boîtes de
petits pois pour le prix de trois.
Ananas paie à la caisse.

Pineapple finds a globe,
a cap, a watering-can,
a scarf, polka dot socks,
a kite, a straw hat
for Apple and five cans of
peas for the price of three.
Pineapple pays at the counter.

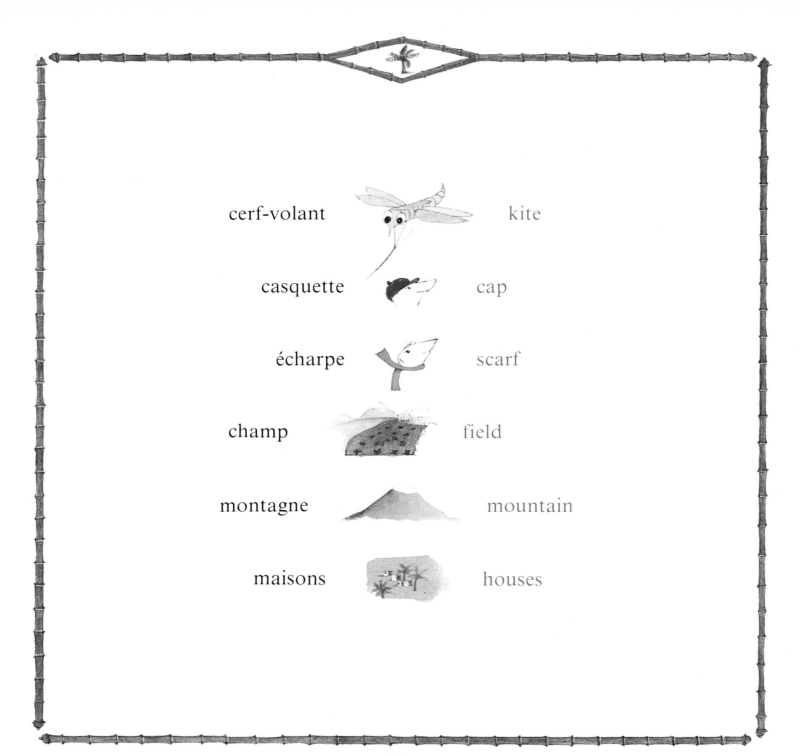

cerf-volant   kite

casquette   cap

écharpe   scarf

champ   field

montagne   mountain

maisons   houses

— Pomme, regarde ce que j'ai !
Une écharpe et un chapeau de paille
pour toi, une casquette et un
cerf-volant pour moi et...
Pomme éclate de rire.
Ensemble ils vont dans un champ
faire voler le cerf-volant.

— Apple, look at what I have !
A scarf and a straw hat
for you, a cap and a
kite for me and...
Apple bursts out laughing.
Together they go to a field
to fly the kite.

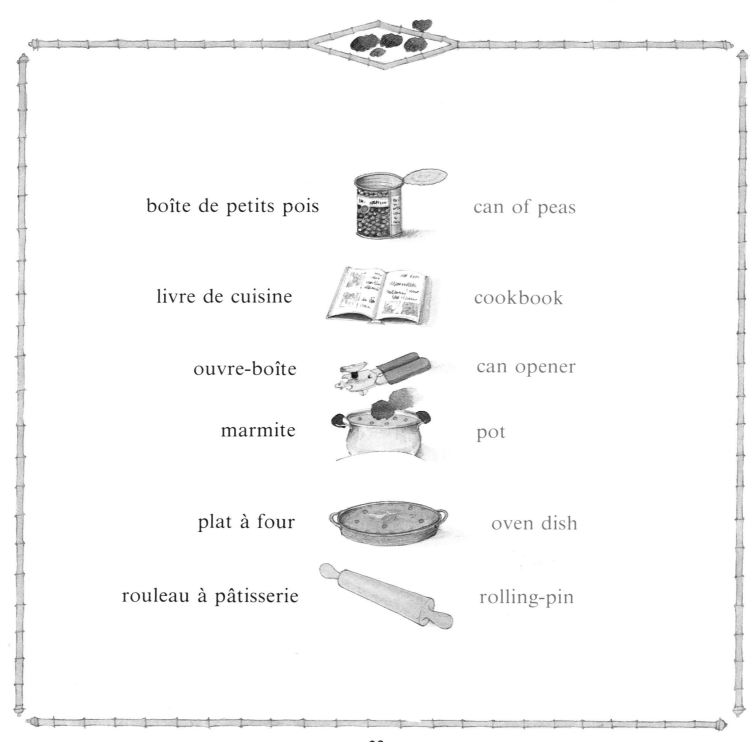

boîte de petits pois — can of peas

livre de cuisine — cookbook

ouvre-boîte — can opener

marmite — pot

plat à four — oven dish

rouleau à pâtisserie — rolling-pin

Pomme a très faim.
Ananas va dans la cuisine.
Il a seulement cinq boîtes
de petits pois.
Il ouvre le livre de cuisine
et fait un pâté aux petits pois
et une soupe aux petits pois.

Apple is very hungry.
Pineapple goes into the kitchen.
He has only five cans
of peas.
He opens the cookbook
and he makes a pea pâté
and a pea soup.

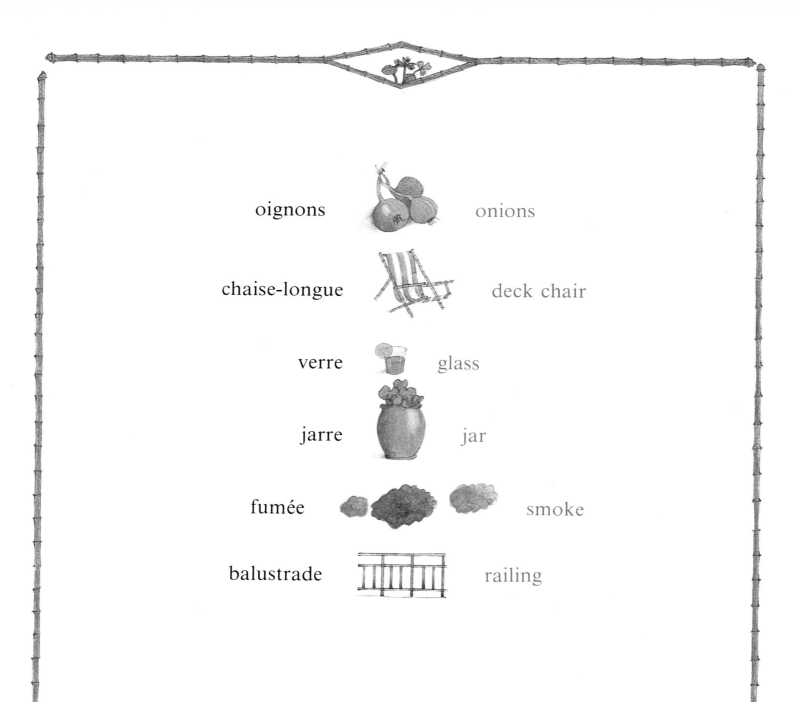

oignons — onions

chaise-longue — deck chair

verre — glass

jarre — jar

fumée — smoke

balustrade — railing

Ananas a laissé brûler la soupe.
Il goûte le pâté.
Ni l'un ni l'autre ne sont mangeables.
— Pomme, je suis désolé mais mon
déjeuner n'est pas bon. Ne te
tracasse pas, j'ai une idée.

Pineapple has let the soup burn.
He tastes the pâté.
Neither one is good to eat.
— Apple, I am sorry but my
lunch is no good. Don't
worry, I have an idea.

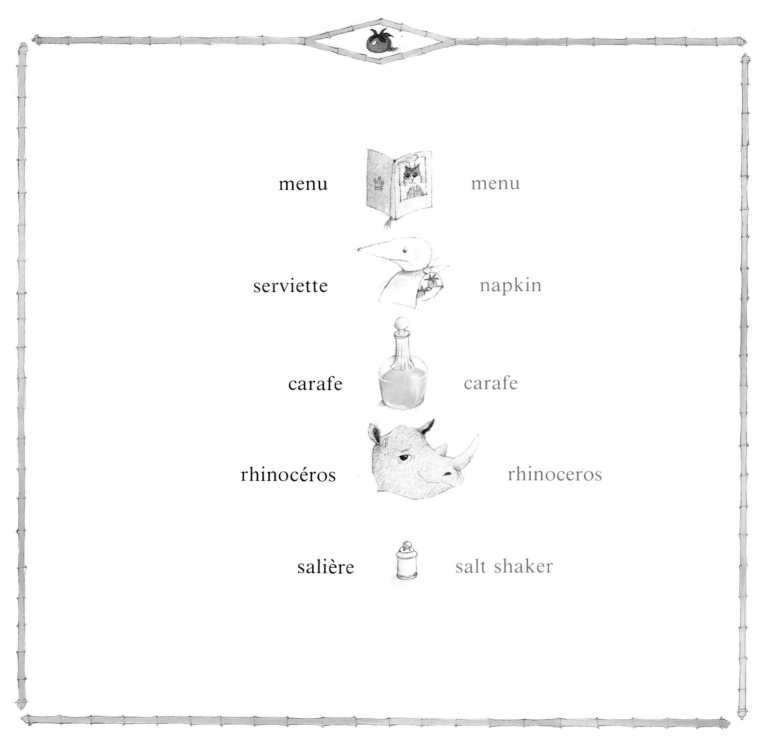

menu   menu

serviette   napkin

carafe   carafe

rhinocéros   rhinoceros

salière   salt shaker

— Allons déjeuner au restaurant.
Nous fêterons notre nouvelle maison.
Pomme est très contente.
Ils choisissent une table près
de la fenêtre et commandent
tout ce qu'ils aiment.

— Let's lunch in a restaurant.
We will celebrate our new house.
Apple is very pleased.
They choose a table by
the window and order
everything they like.

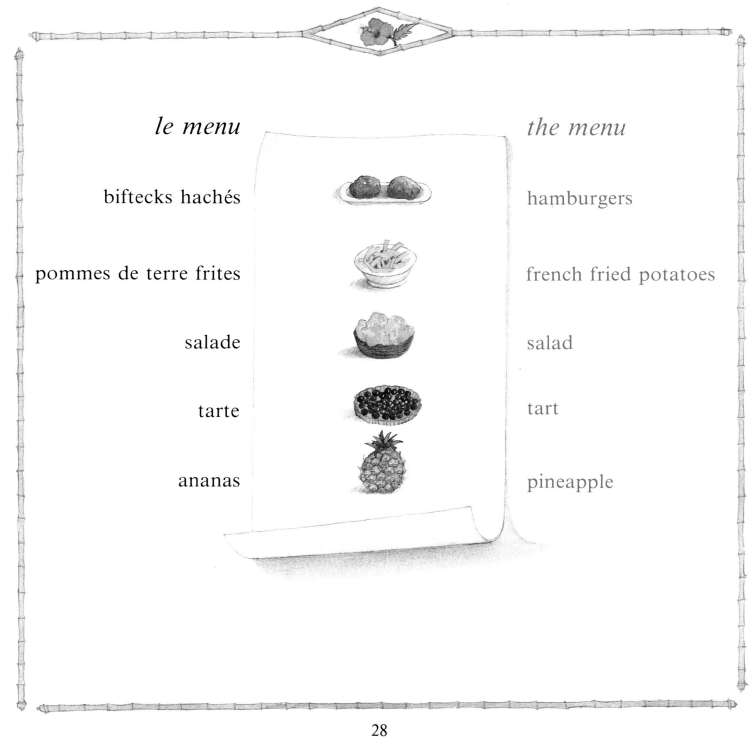

le menu	the menu
biftecks hachés	hamburgers
pommes de terre frites	french fried potatoes
salade	salad
tarte	tart
ananas	pineapple

Ananas règle l'addition et dit :
— Nous n'avons plus un sou.
— Ne t'inquiète pas, il nous reste
une maison, une mappemonde,
un arrosoir, un cerf-volant,
une écharpe, un chapeau de paille,
et des chaussettes à pois.
— Et plus de petits pois...

Pineapple pays the bill and says:
— We haven't a penny left.
— Don't worry, we still have a
house, a globe,
a watering can, a kite
a scarf, a straw hat
and polka dot socks.
— And no more peas...